好想去旅行

·日本·

[波兰] 索菲亚·法布扬诺夫斯卡-米茨克 著
[波兰] 尤安娜·格罗霍茨卡 绘
黄珊 译

中信出版集团 | 北京

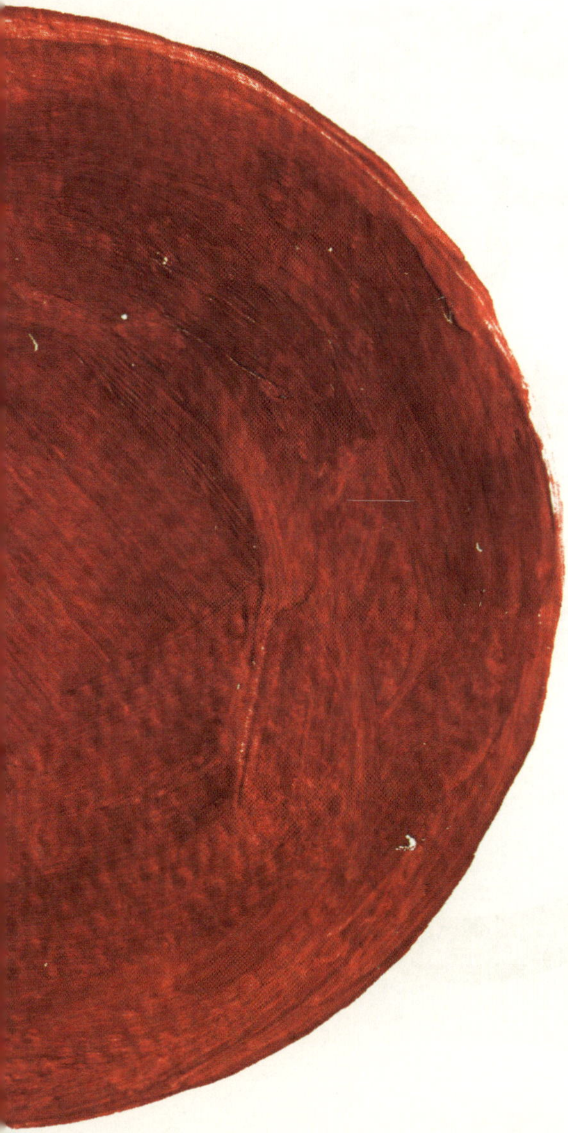

1 欢迎来到日本

试想一下，在一个面积不足 40 万平方千米的国度里，却生活着 1 亿多国民，是不是非常非常拥挤呢？没错，不过拥挤的只是那些大城市罢了。比如东京，就是一个有着 1300 多万居民的大城市。东京的道路密如蛛网，不是很宽敞，有些甚至狭窄得无法让车辆通过，但交通却并不拥堵，行人车辆井然有序。

很难相信，在这样的国度里，仍存在着荒无人烟的孤岛、山丘、丛林与荒原，因为那里的环境实在不宜居住。大自然在那里仍保留着原始的野性：地震频发；110 座活火山有近 50 座完全沉寂，剩下的那些，则随时都有可能苏醒。

这个国家就是日本。日本位于亚洲东部，东临太平洋，由四个大岛和几千个小岛组成。

每一个日本儿童都知道，千百年前，武士守卫着日本。尽管武士很久以前就已经不再穿传统的武士服，但这个国家仍然是一个以天皇为国家象征的君主制国家，天皇对日本的统治已有两千多年。公元前 660 年 2 月 11 日，日本初代天皇即位，因此日本人将 2 月 11 日定为建国纪念日。

日本的流通货币是日元。100 日元大约可兑换 6 元人民币，算起来没多少钱，却可以在遍布日本大街小巷的百元店里买到一件小小的纪念品。这种店铺里什么东西都有，从小小的瓷碗、玩偶，到一小盒点心，统统只要 100 日元。其他店铺里的东西则要贵得多。日本人的钱包总是鼓鼓囊囊的，除了硬币之外，通常都会有千元大钞。100 日元的硬币上铸有樱花图案，十分美丽；当然，钱包里也少不了中间有孔的5日元硬币。5日元价值不高，基本上什么都买不到，却拥有能带来好运的魔力，因为在日语中，5日元的发音和“有缘”非常相近，寄托着人们对缘份的相信和祈愿。

日本人称呼自己的祖国为“Nihon”或“Nippon”，两者都可以写作汉字“日本”。当他们非常开心时，会激动地高呼“Banzai”。人们常在庆祝的时候使用这个词，传达出“太棒了”“万事如意”或“长命百岁”等意思。

在日本生活是一种怎样的体验呢？日本人如何交流、学习、吃喝玩乐和庆祝狂欢呢？让我们一起走进这本书去一探究竟吧！

日本

首都：东京

面积：约 378 000 平方千米

人口：约 1.27 亿人

语言：通用语言为日语

日本海

1 大雪山国家公园
2 札幌
北海道岛
3 青森
佐渡岛
23
5 日光国家公园
4 松本城
三鹰市
6
7 东京
10 富士山
8 川崎
9 镰仓
太
平
洋

北海道

1. 

大雪山国家公园 —— 这里生活着棕熊和貉。冬天，人们可以在这里舒舒服服地泡温泉。

2. 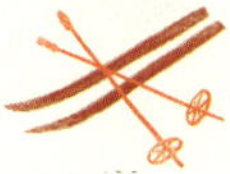

札幌 —— 北海道最大的城市，因札幌雪节和跳台滑雪大会而闻名世界。

本州

3. 

青森 —— 每年 8 月在这里举办的青森大灯笼节，是以灯笼为主题的盛大狂欢。

4. 

松本城 —— 日本最美丽的古城之一，因城墙为黑色，又得名“乌鸦城”。

5. 

日光国家公园 —— 这里有近 100 米高的华严瀑布，以及华美庄严的、祭祀著名幕府将军德川家康的东照宫。

6. 

三鹰市 —— 在这里，可以参观由宫崎骏大师亲自设计的三鹰市立动画美术馆，还可以找到他设计的形态各异的玩偶、毛绒玩具以及龙猫、幽灵公主和魔女琪琪等玩具模型。

7. 

东京 —— 日本首都。在筑地鱼市可以买到各种新鲜的海鲜，市内还有三丽鸥彩虹乐园，乐园中随处可见凯蒂猫的形象。

8. 

川崎

川崎 —— 这里有藤子 · F. 不二雄博物馆，以纪念著名漫画家藤子 · F. 不二雄（原名藤本弘）及其创作的哆啦 A 梦。

9. 

镰仓

镰仓 —— 镰仓大佛含台座高约 13 米，重约 121 吨，可由佛像背后底部进入参观。

10. 

富士山

富士山 —— 日本国内最高峰，最负盛名的山，最高点海拔约 3776 米。

11. 

名古屋

名古屋 —— 这里有著名的汽车博物馆，可以看到早期的丰田汽车。

12. 

京都

京都 —— 日本的古都之一，值得一游的景点包括外墙由金箔装饰的金阁寺，还有由无数个朱红色的鸟居构成的鸟居长廊。

13. 

奈良

奈良 —— 日本最早的都城，城内遍布古老的神社，在神社周边的园林中栖居着成群的鹿。

14. 

大阪

大阪 —— 每年 1 月，这里会举办裸身节。

15. 

神户

神户 —— 这里的农场里饲养着世界闻名的神户牛。

16. 

姬路城

姬路城 —— 因为古城外墙通体雪白，屋檐造型犹如展翅欲飞的白鹭，所以又称为“白鹭城”，其中步步设防、障碍重重。

17. 

广岛

广岛 —— 这里坐落着著名的原子弹爆炸遇难者慰灵碑和广岛和平纪念碑，以纪念“二战”期间广岛因原子弹轰炸而不幸去世的人们；马自达汽车制造厂也位于这里；同样著名的还有广岛东洋鲤鱼棒球队。

18. 

四国岛

岛上广泛种植柑橘，品质居日本首位。

九州岛

19. 

别府 ——度假胜地，以温泉闻名，遍布各式和风浴场。

20. 

福冈 ——九州最大的城市，那珂河沿岸售卖的小吃十分美味。

8

21. 

阿苏山 ——位于九州中部的活火山。

22. 

熊本城 ——与日本其他古城不同，熊本城基本保留了日本武士时期的建筑风貌。

23. 

佐渡岛

这里曾长期作为日本贵族的流放地，后来被发现有金矿，1989 年因矿脉枯竭而停止采掘；今天，这里有日本的朱鹮繁育基地。

24.

淡路岛

淡路岛

日本文乐（木偶戏）的发源地。

25.

大久野岛

大久野岛

“二战”时，这里曾经是军队的实验室所在地，实验人员用兔子做实验。现在，实验室已被关闭，兔子却繁衍至今，甚至吸引了大批游客。

26.

严岛（宫岛）

严岛（宫岛）

岛上生活着许多鹿，这里有枫叶形状的点心，在水中屹立着严岛的标志性建筑——大鸟居。

27.

屋久岛

屋久岛

尽管岛周围的海水温度不低于 19℃，岛的高山顶上却总是覆盖着积雪；据说岛上的猴不下 7000 只。

28.

冲绳岛

冲绳岛

这里最早创立了空手道研究俱乐部；冲绳岸边有美丽的珊瑚礁，岛上的水族馆里生活着十几米长、几吨重的鲸鲨。

目录

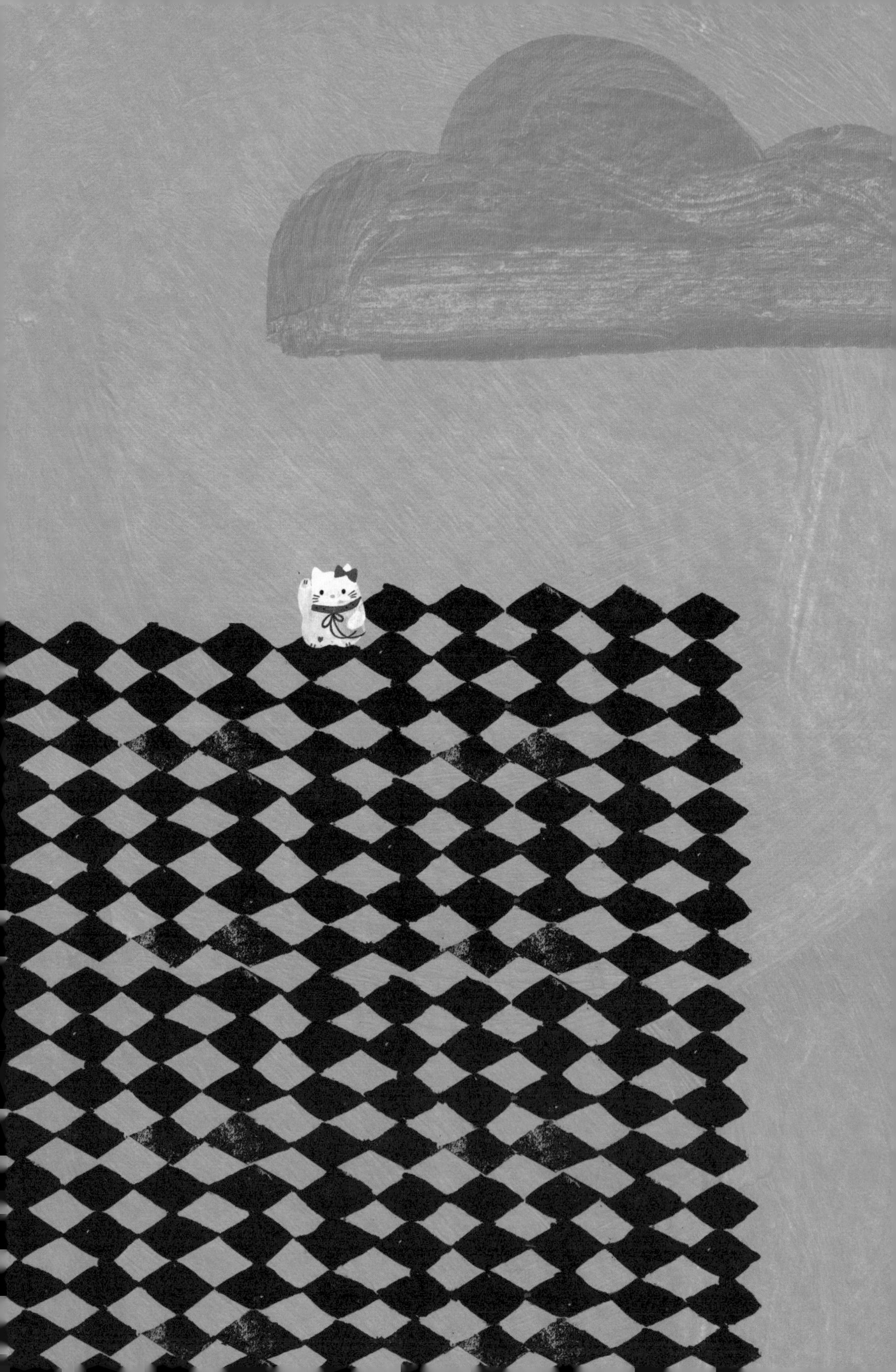

地图上的日本

日本国土呈长狭形，大小岛礁就像是一颗颗散落在太平洋上的珍珠。

在南方的岛上，即使在冬天也可以穿短袖衬衣。那里有沙滩、棕榈树和珊瑚礁，生长着木瓜、柠檬、杧果和菠萝。生活在东京、京都或横滨的居民，如果想要度过一个充满异域风情的假期，完全不用走出国门，只需来到日本南部的冲绳。

滑雪同样不是问题，位于北部的北海道就可以满足你。在札幌，每年都会举办跳台滑雪大会和雪节。在北海道出游，不仅可以选择搭乘飞机或轮船，还可以乘坐火车，穿越世界上最长的海底隧道。

东京是日本的首都，位于日本最大的岛——本州岛。冬天，东京寒冷干燥，很少下雪，通常雪量也不大；可一旦下起雪来，交通很容易陷入瘫痪。夏天，东京炎热潮湿。春天，这里盛开着各种各样的樱花，而秋天随处可见火红的枫叶。本州岛为狭长形，除东京之外，还有京都、大阪、横滨、神户、名古屋和广岛等城市。

从本州岛向西，就来到了九州岛，那里有阿苏火山和著名的温泉；邻近九州岛的四国岛则盛产柑橘。

日本

日本的国旗

日本的国旗简单易记——白色的旗面，中间有一轮红日。日本人管它叫“太阳旗”，也叫“日章旗”或“日轮旗”。日本也被称作“日出之国”，据说这个称谓来源于古代中国人，因为在他们看来，太阳总是从日本列岛附近的海面上升起。

太阳也是日本主要宗教神道教的重要图腾。“神道”的意思是“神明之道”，在日本人崇拜的所有神明中，最核心、最重要的就是象征着天空中的太阳的天照大神。天照大神被日本人奉为今日日本天皇的始祖，也是神道教中的最高神祇。

据日本神话记载，有一次，天照大神被她顽皮的弟弟须佐之男的恶作剧惹恼了，一气之下藏进山洞里，用岩石挡住洞口，不愿意出来。当天空中的太阳不见了的时候，大地上一片黑暗，邪恶力量开始狂欢。好在善良的神明们想出了个主意，他们在

天照大神

山洞前嬉戏，欢笑鼓掌。天照大神好奇地将洞口的巨石移开了一道缝，问外面的神明，为何在黑暗中依然这样高兴。众神明回答说，因为有尊贵的客人要来。“真的吗？”女神很惊讶，“还有谁比我更尊贵？”于是她从山洞里走出来，却只看到一面镜子，而镜子里就是她自己的身影。神明们期待的结果出现了，他们拉着天照大神的手臂，簇拥着她离开了山洞。天照大神一离开山洞，人间就重见了光明。

直到今天，很多日本神社中仍会摆上一面镜子，用以纪念天照大神。

日本的另一个象征是皇室家徽：十六瓣八重表菊纹章，日本人将它看作自己国家的标志。我们可以在很多地方看到菊花徽记，比如日本公民的护照上。日本最高等的国家勋章上也有菊花，名为“大勋位菊花章颈饰”。每年 10 至 11 月，日本全国上下都会庆祝菊花节。日本各地在这期间都会举办菊花展，展示最鲜艳美丽的菊花。

菊花的某些品种甚至会出现在厨房里——比如做成菜肴，或者泡出清香的花茶；有些甚至被制成缓解头痛的药品。

樱花海洋

日本的别称可不止“日出之国”一个，它还会被称作“樱花盛开的国度”。这个名字来源于日本列岛上广泛种植的樱花，每当春天来临，岛上就变成了樱花的海洋。

每年 3 到 5 月，城里城外、街头巷尾、公园里、小树林里，到处翻涌着樱粉色的花浪。3 月，西南部温暖海岛上的樱花率先吐蕊，紧接着本州岛上的樱花也竞相绽放，不甘落后。到了 5 月，北海道的樱花则为这一场盛大的花事画上句号。

当樱花季来临时，男女老少纷纷结伴出游，观赏樱花，这是日本传统习俗之一——花见（意为“赏花”）。这就像盛大的集体野餐：草地上、樱花下，到处铺开了毯子，亲朋好友席地而坐，吃喝聊天，纵情歌唱。

这边花刚开，那边花已开始凋谢。纷纷飘落的花瓣仿佛粉色的雪花，簌簌而下，又是一番人间美景。

不过，你可不要以为，在之后的整个夏天，孩子们就会大把大把地往嘴里塞樱桃，商店的货架上也会摆满装满樱桃果酱的瓶子——实际上樱花树和樱桃树可完全不是一回事。日本的樱花为观赏型，不会结樱桃，在春天开出美丽的花朵就是它们全部的使命。

早在“花见”之前，商店里就开始掀起樱花热潮。毫不夸张地说，几乎所有商品都推出了各种各样的樱花主题产品——粉色的点心和巧克力，做成花瓣形状的饼干，点缀着花朵纹样的钱包、餐巾、雨伞、手机壳和便当盒，还有专门为节庆准备的绘有樱花图案的和服。毕竟，大和民族是一个很注重一年之中时令更替的民族。等到秋天，店铺里就会换上火红的枫叶元素产品了。

花见

“没关系！”

如果你想要学习日语的发音，就要借助“五十音图”。五十音图是将日语的假名（平假名、片假名）以元音、辅音为分类依据，排列出来的一个图表。日语的发音较轻，且多摩擦音；讲西班牙语和意大利语的人会发现，日语中的短元音——a、i、u、e、o 的发音与他们的语言很相近。

在很多日语词中存在着长元音“o”和“u”。这些音素出现在岛屿的名称 Honshu（本州）、Hokkaido（北海道）、Kyushu（九州）和城市的名称 Tokyo（东京）、Osaka（大阪）、Kyoto（京都）里。

语音问题我们就说到这里，现在有个坏消息。尽管日语入门非常简单，可是几节课以后，难题就来了。日本人是如此彬彬有礼，这反映在语言中，表现为他们的礼貌也会分成

日安！

好几个等级：从简单的礼貌用语（用于朋友和亲戚之间）到非常、极其、特别、无比崇敬的敬语（比如在与长辈和上司的谈话中）。甚至是简单的一个“我”，就有好几种说法，老人、青年、小孩，都不一样。

于是日语就有了很多不一样的版本：女人用的，男人用的，年轻人用的，朋友之间用的，正式场合用的，家里用的，等等。为了自由地交谈——跟上别人的节奏并理解他们都说了些什么——我们必须学习所有的范式。

如果不会说日语，那么用手势交流是不是更容易呢？恐怕不全是。当你向日本人挥手告别时，对方可能会跑过来问发生了什么。因为对你来说表示“再见”的手势，对日本人而言是“过来”的意思。如果日本人不知道你在冲他还是他身边的人做手势，想要问：“谁？我吗？”他不是用手指指向自己的胸口，而是指着自己的鼻子尖。

五十音图（部分）

平假名	片假名
あ	ア
い	イ
う	ウ
え	エ
お	オ
か	カ
き	キ
く	ク
け	ケ
こ	コ

“借”来的文字

要想读懂日本报纸，至少需要掌握 2000 个单词。日语与汉语的关系很密切，在日文中常常夹杂着很多汉字。

日本人为什么使用汉字呢？因为这是很多年前，日本人从中国人那里“借”来的。在唐朝的时候，汉字由中国传入朝鲜地区，随后又传入日本。

日本人从中国“借”了很多东西，比如茶叶、纸张、盆栽，就连菊花也是从中国传入日本的。日本人“借”的这些东西，在很多情况下又不只是借来用用而已——他们会把“借来”的东西与自己的文化结合起来，比如茶道、折纸，还有盆栽。

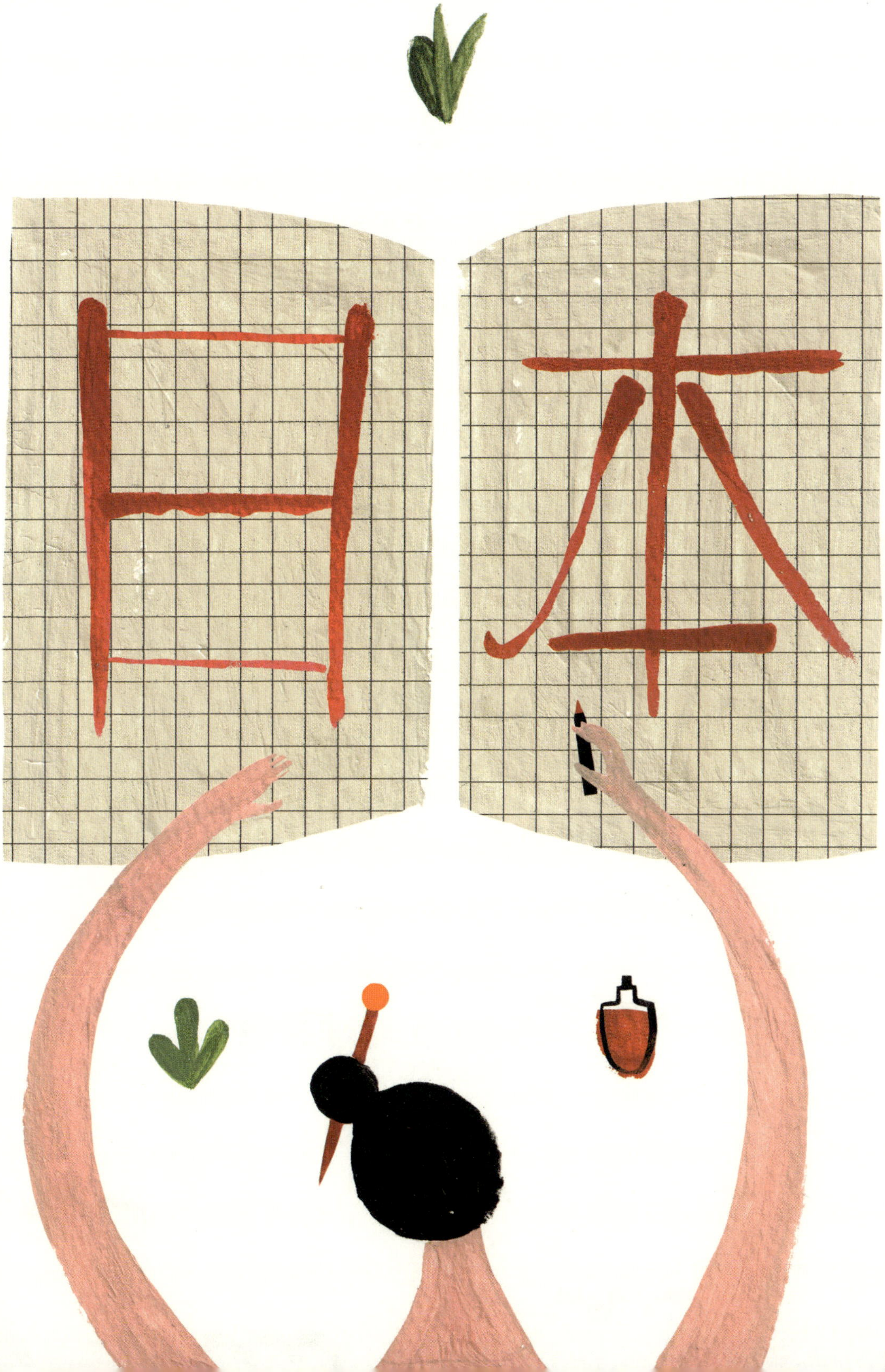
日本

借用汉字虽然简便，但麻烦的是，汉语与日语是完全不同的两种语言，因此仅有汉字是不够的。后来，日本人逐渐将中国的文字与自己创制的符号（平假名、片假名）结合起来使用。另外，对于英语、法语等外来语，日本人也可以方便地用假名进行音译。假名书写和记忆起来要简单得多，因此孩子们通常从假名学起，长大后才开始学习汉字。

日语中有些汉字与它们在汉语中的意思相近。比如，认识了“木”这个字，那么三个“木”（森）就是“森林”的意思。又如，“下”意味着“在下面”“在底部”“向下走”，而“上”的意思就是“在上面”“在顶部”和“向上走”。

不过,“日本”这两个汉字,是连幼儿园的小朋友都认识的。其中,“日”字象征着“太阳”,“本”字通常指“书本”,这里指“起初、本源的地方”。当我们把“日”和“本”联系到一起,就会想到“太阳初升的地方”,也就是“日出之国”。

天皇的年号

日本有自己的首相、议会和政府，但地位最高的当数天皇。日本人甚至用天皇的年号来纪年。从 2019 年 5 月 1 日起，日本结束了“平成”年号，开始进入令和时代。要是你现在去问日本的学生，他们是哪一年出生的，他们很可能会告诉你自己出生于平成 ×× 年。再过几年，可能就有孩子告诉你自己出生于令和 ×× 年。

大化改新后，日本的历史按照天皇的年号划分为不同时期。每当新任天皇即位，就会启用一个新的年号，天皇也将以此相称。不过年号不是天皇出生时的名字，而是由特别的政府大臣们制定的称号。一般情况下，这个年号会一直伴随天皇一生，不可随意更改。

现代日本历史上在位时间最长的天皇是昭和天皇，名裕仁。他在位期间，第二次世界大战爆发，日本选择站在纳粹德国一方，并且发动了针对中国等国的大规模的侵略战争，

年号

给亚洲人民带来了深重的灾难。1945 年，战争结束之前，美国在日本广岛和长崎投下了两枚原子弹，造成了巨大的破坏，二十余万人因此丧生。最终，日本宣布无条件投降——昭和天皇发表声明，表示缔结和约是最好的出路。

那么昭和天皇一共在位多少年呢？ 1926 年昭和天皇即位，当时还处在蒸汽时代；1989 年他去世时，日本新干线早已开通运行。昭和天皇也是第一位出现在电视屏幕上和出访欧洲的日本统治者（在巴黎访问时，他还曾躲开安保人员，自己去乘坐了一回地铁）。昭和天皇执政时期被称作“昭和时代”，一共持续了 62 年 13 天。

2019 年 4 月 30 日退位的日本天皇是明仁，年号平成，被称作“平成天皇”。次日，皇太子德仁即位，改年号为“令和”。

当然，日本人也会使用公元纪年，比如在订飞机票的时候，你不能对航空公司说“我要订平成三十一年 1 月 1 日飞往纽约的机票”。1989 年是平成元年，那么平成三十一年是公元哪一年呢？自己算算看哟。

家人
最重要

日本的上班族爸爸们总是勤勤恳恳、兢兢业业，孩子一般只能在周末见到自己的爸爸。因为爸爸们每天早出晚归，早上离家、晚上回来时，孩子们都在睡觉。我们对日本人家庭生活的了解仅限于这些。事实上，这只是一个侧面。对日本人来说，亲人是非常重要的。男子背着老奶奶，从很陡的楼梯上小心翼翼地走下来，这一幕在日本并不少见。这位老奶奶很可能是男子的妈妈，因为在日本，年迈的父母总会受到子女的尊敬和照顾。

日本是个典型的老龄化国家。日本很多公司也致力于简化、方便老人们的生活，比如：针对老年人需求设计手机和电脑，开发护理老人的机器人，内置 GPS（全球定位系统）导航装置的拐杖已经投入生产。

日本的老人很少在家照看孙辈。他们享受着自由的退休时光，旅旅游，养养花，上上书法课，打打高尔夫。人们认为，老人已经辛勤地工作了一辈子，也该好好地休息休息了。

关于学前教育，日本人也有着不一样的观点。他们认为，等到正式上学后，孩子将忙于学习，因此在其上学之前，父母会尽可能地多陪伴孩子。

很多日本妈妈不出去工作，而是在家操持家务，并将大量时间用在子女身上。妈妈们经常去学校了解孩子的学习情况，看看他们是否遇到了困难，是否需要提供帮助。这样的情况一直持续到孩子升入初中或高中。

日本的入学年龄是六周岁。新学年从每年 4 月开始，到第二年3月中旬结束，接下来是为期两周的春假。除春假之外，每学年还有两周的寒假和 8 月整整一个月的暑假。不过在放

说了这么多，日本家庭成员之间怎样称呼彼此呢？对于哥哥姐姐，弟弟妹妹须十分恭敬地用敬语称呼。所以，哪怕是才几岁大的小妹妹喊出“尊敬的兄长”或者“尊敬的姐姐”，也不会有人感到奇怪，这就是日本等级观念的体现。日本人十分看重长幼尊卑，无论在工作场合还是在学校，甚至在家里，都会严格遵从。不过，长辈对家里的小孩子和晚辈就随意多了，通常会亲切地称呼他们的名字或昵称。

假期间，孩子们照样要学习。老师会给他们布置作业，假期结束还要进行考试。从初中开始，除了上学之外，孩子们还会去上学塾——私人创办的一种课外补习班。基本上每个学生都会参加补习班，补习内容往往与中考或高考相关。学塾学习通常会持续到晚上，而学生们从补习班回家后，还要继续写作业……

学生在校园里需要穿统一的校服。男生通常穿深色制服式西装，而女生哪怕是在冬天，也会穿着短裙和及膝长袜。当然，学校不同，校服的风格和色调也会不一样。

在学校里，学生要负责打扫教室、走廊和卫生间。这真是一个不错的主意，可以有效地维持校园整洁。如果哪个学生想把教室弄得一团糟，肯定要先掂量一下，毕竟过后还得自己清理。

“橡皮”房子

漫步在日本街头，也许你会留意到，很多建筑的窗玻璃上贴有红三角标志。这个标志表示，从这里可以轻易地破窗而入（因为这种窗户可以从外面打开，或者玻璃较薄，很容易打破），而不用艰难地破拆外墙，消防员就能以最快的速度展开救援。

不知你注意到没有，日本的房屋结构比较特殊。哪怕是非常高的高楼，也会设计成可以抗震的结构，就像用橡皮造的房子那样，能够经受摇晃、变形，而不会轻易坍塌。建筑师和工程师必须建造出抗震的房屋，因为日本是个地震多发的国家。通常震级较小的地震不会造成多大危害，日本人对此也已经习以为常。但是每隔十几年或者几十年，总会发生灾难性的大地震。比如 2011 年 3 月 11 日，地震和海啸摧毁了日本的好几座城市。要是没有“橡皮”房子、红三角标记的窗户等人为举措的话，损失还会大得多。

抗震建筑

日本人都知道，当地面开始摇晃时应该怎么做。从幼儿园起，孩子们就被教育：一旦发现地面震动，必须马上找到并躲进安全的掩体；如果在教室或者书房里，最安全的地方是长椅或者书桌一侧。有的学校每个月都会组织地震警报演习，没有人慌乱，没有人嬉闹，大家迅速而有序地离开教室，来到外面的空旷处。每家每户都备有应急包，里面装有必备物品，包括瓶装水、手电筒、防寒毯、罐头、纸巾和收音机等。

我们星球的地壳由彼此不完全契合的板块构成，这些板块每时每刻都在运动，在边缘处会相互摩擦与碰撞，从而导致地震。日本正处于四大板块交界的地方，因此地震发生得非常频繁。如果地震发生在海底，就会产生巨大的海浪，也就是海啸。此时海浪的高度可达几米、几十米，历史上甚至出现过几百米高的巨浪。

榻榻米

榻榻米上的生活

现在我们要讲一讲垫子，不过不是健身房里那种翻跟头时保护我们不受伤的垫子，而是传统的日式垫子——榻榻米。榻榻米用稻草和芦苇秆编织而成，因此带有一种草的清香。

以前，日本家家户户都会铺设榻榻米；如今，人们用得比以前少了，但仍用能铺下几张榻榻米来描述房间的大小。在报纸上，我们经常看到这样的启事："出租单人间，四张半，位置优良。"一张即为一张榻榻米的大小，一般长 180 厘米、宽 90 厘米。

在榻榻米上睡觉非常舒服，上面只需铺上一张薄薄的日式床垫。早晨起床后，床垫可以卷起来收进柜子里。过去只有武士才能睡在床垫上，而今天它受到很多日本人的青睐，大家都可以享受床垫带来的舒适。

日本人在家里会围着桌腿非常矮的桌子吃饭。在桌边可以跪坐，可以盘腿坐，还可以坐无腿椅。冬天，日本人会在桌子下装上小巧的电暖炉。为了不让热量散逸，人们还会在桌子的边缘加装上又宽又厚的被子，组成被炉。当日本人围着桌子坐下时，可以用被炉温暖冻僵了的双腿。

在日本看不到暖气片，因为那里没有中央供暖系统。要是安上暖气，地震时，供暖管道很容易爆裂。日本人最常使用的供暖设备是空调。冬天如果不开空调，即使室外温度还未到零下，在室内也很容易被冻僵。

日本的很多房屋看上去还是好几个世纪以前的风格：分隔两个房间的不是我们常见的门，而是可以滑动的推拉式纸门；地板上仍铺着榻榻米。不过，日本有些现代建筑师想法相当前卫，完全颠覆了传统。比如，建筑师藤本壮介就曾经设计过一座几乎完全透明的住宅。这座私人住宅位于日本东京，就像一摞堆叠在一起的方盒子，每一个房间都位于不一样的高度。从一个房间去另一个房间，要么通过梯子，要么像在电脑游戏中那样跳过去。

穿袜子的小偷

在日本，哪怕是小偷潜入别人家，进门前都会下意识地先脱下鞋子。不脱鞋而闯入别人家是对主人极大的侮辱。运动鞋、皮鞋、凉鞋或者胶靴都要留在门外，进屋时只能穿着袜子或是为客人准备的拖鞋。

日本人拥有自己的礼仪规范。在见面和分别的时候，他们并不拥抱，而是互相鞠上一躬。从孩提时代，日本人就开始学习怎样鞠躬：有时只需低一低头，有时需要半低下身子，有时整个身子都要跟着弯下去。当他们离开家门时，会说："我先出门啦！"下班或放学回家时，在门外就会喊道："我回来啦！"这时家里其他人就会回答："欢迎回家！"

对日本人来说，在街头吃东西是不合适的，不过吃路边小贩出售的肉串和抹着蛋黄酱、番茄酱的章鱼小丸子是例外。日本人在路边狼吞虎咽地吃三明治的画面实在是很少见，而

在公交车或地铁上吃东西更是绝对不可以。吃东西就应该在桌边，而且要使用筷子，吃类似意大利面的日式面条更是离不开筷子。不过要记住一点：日本人不会乱用手中的筷子。拿筷子在饭菜里拨弄，或者指人指物，都是不礼貌的表现。而在吃饭时发出声响则是被允许的，因为这表明饭菜非常合你的胃口。

日式礼仪中还需记住的一点是，当你在日本人家中做客时，如果需要使用卫生间，在卫生间门前看到一双标有“卫生间”字样的拖鞋，不用犹豫，快换上吧——它们摆在那儿正等着你穿呢。在使用卫生间时，你要换上这双鞋，不过离开时可千万不要忘记换下来呀，这双鞋是绝对不能穿到外面去的。

在日本，鞠躬有三种方式。当与同龄人、非常熟悉的人见面或告别时，只需微微弯一弯身子。女孩子鞠躬时要将手交叉放在身前，男孩子则要把双手垂在身体的两侧。面对长辈或不太熟悉的人，最好深深地鞠躬。对于非常重要的人物，则要采取最为正式的一种鞠躬方式：你必须将腰深深地弯下去与下肢呈直角，并保持这个姿势几秒钟。

最后，让我们再回到穿袜子的小偷身上来吧……也许这个说法并不真实。小偷？日本可是世界上最安全的国家之一，又有多大的概率碰到小偷呢？

救命，
我在浴室！

连四岁的小孩都知道该怎么使用浴室，这有什么难的呢？不过，这里我们要说的是日式浴场。

如今，一些日本家庭只安装淋浴，不过还有很多家庭仍保留了日式浴盆。与西式浴缸不同，日式浴盆就像水池一样，非常深，人坐进去只有头部露在外面。不过可别急着坐进去。在泡进日式浴盆之前，我们还需要……先把身体洗干净！

在日本，你不能带着一身污垢进入浴盆里，因此，得先坐在一个矮凳上，给身体打上肥皂，接着冲洗干净（不必担心水溅得到处都是，地上有地漏）。现在，终于可以进入浴盆了。不过可要小心哪，日本人喜欢用温度很高的热水泡澡。

日本人还很喜欢一家人一起泡澡。在孩子们小时候，爸爸妈妈带着他们一起坐在浴盆里可不是什么稀奇事儿，一起去公共浴场洗浴也很常见。公共浴池有游泳池那么大，可以容纳很多人。有的人去公共浴场是不得已，因为他们的房子太小，没有地方洗澡；有的人不仅在公共浴场洗澡，还在这里与朋友们见面。在有的浴场里，甚至能够点餐。

每家公共浴场都分为男部和女部，出入口、更衣室和浴池都是分开的，只要你走进了正确的门（门帘上写有汉字“殿”“姬”，也就是“男”“女”的意思），就可以放心，不会出现什么令人尴尬的情况。在这里，女性可以赤裸着身子走来走去，而男性也可以毫不拘束地当着同事和同学的面脱下衣服。

日本的厕所同样非比寻常。哪怕在普通的比萨店，也装有令人惊异的新型马桶。这种智能马桶是电动的，有很多按钮以及一个小小的显示屏；能够自动冲水，气温低时可以自动加热垫圈，并兼具清洁和烘干功能；马桶盖上通常还有一个被称作“音姬”的按键，按下此键，马桶就会发出流水的声音，以免别人听见你如厕的声响。

请开动吧，用餐愉快！

提起日本的饮食，你首先会想到什么？一定是寿司吧。这是一道又传统又时尚的美食。要是品尝过就会知道，寿司中的米饭有一股微酸的味道。这酸味是哪儿来的呢？

寿司有着悠久的历史。从前，它的模样跟今天看到的大不相同。那时候没有冰箱，海鲜（鱼虾、牡蛎、章鱼和乌贼等）很容易变质。渔民、厨师和美食家都在思考对策，最后有人想出了个办法：将煮熟的米饭与海鲜混合，密封在桶里腌；一年之后，味道有点儿像酸黄瓜时，就可以取出吃了。这便是寿司的原型。等到米醋被发明出来，我们就不用等那么久吃上寿司了，只需加点儿米醋，立刻就能飘出熟悉的味道。

今天我们所熟悉的握寿司是19世纪的厨师华屋与兵卫发明的。他将蒸好的米饭和三文鱼、鳗鱼之类的生鱼片或虾、煎蛋攥在一起，做成握寿司。而在有些国家，比较流行另一

请开动吧！

种吃法：将米饭、生鱼片一起用干海苔裹成卷，做成卷寿司。

不会用筷子的人也能尽情享用美味的寿司：它可以直接用手拿着吃。寿司通常作为中午的一顿便餐，或者上午用来补充能量的加餐，正餐则有其他的选择。

日本人热爱美食，他们总是用最好的，有时甚至用相当名贵的原材料准备菜肴。不过孩子们更喜欢便宜又好吃的食物，比如日式煎饼大阪烧。大阪烧在日语中意为“你所喜欢的味道”，制作方法很简单。打开冰箱，拿出你想吃的食材——蘑菇、火腿、虾、奶酪、蔬菜、面条等；接着把这些食材切成小块，放到煎饼皮上，之后放进烤箱里烘烤；最后浇上番茄酱、蛋黄酱或豆酱。饭做好了，请开动吧！用餐愉快！

有些日本菜肴听起来甚至有点儿可怕，比如说特别“新鲜”的寿司——新鲜到上桌时食材仍然在动。河豚也是日料中的一味食材，以味道鲜美、肉质细嫩著称。问题是，这种鱼含有剧毒，只有经验丰富的厨师才能够将其中的有毒部位去除，即使只有少量毒素残留，仍会使舌头和嘴唇麻木。有勇气试试吗?

在日本，你还可以品尝到章鱼味的冰激凌、夹心鱼干棒棒糖，以及夹着味道非常呛的芥末酱的巧克力华夫饼。对其他国家的人而言，这些食材的搭配可能有些怪异，而在日本人看来却是司空见惯的。

茶道

茶道文化

茶道文化起源于中国，相传是神农氏在野外遍尝百草时，发现了茶叶的奥秘。

茶传入日本大约是 4 世纪以后的事情。在日本，烹茶逐渐与吟诗作曲地位相当，而茶的艺术——茶道也得以发扬光大。这是一门臻于至善、永无止境的学问。

斗茶会是检验茶道的仪式，通常在别墅或雅致的房间内举行。茶道师们用托盘托着茶具走进斗茶会会场，开始自己的表演：先向茶粉中加入少许沸水，进行调膏，然后继续注入沸水，进行点汤，点汤的同时，用竹制的茶刷加以搅动。之后，茶面上就会浮出一层汤花。斗茶会的观众们用同一只茶具共品一道茶，依次传下去。

茶道中重要的不仅是喝什么茶，还包括用什么来喝茶。日本人最青睐的是日式传统粗陶茶具，这种手工制作的茶具沿袭了千百年前的形状与样式。

在日本，懂得品茶的人很少会使用精致的瓷器喝茶，最雅致的茶具往往是那些看上去非常朴素的茶盏和茶碗。这些茶具边缘凹凸不平，线条曲折，色彩斑驳，有些甚至显出轻微的裂痕，仿佛呈现了经年累月受到风吹日晒的沧桑。这种风格被称作“侘・寂”。

在日本，人们主要喝绿茶，而英国人主要喝红茶。有一种有趣的说法是，绿茶偶然催生了红茶。在绿茶从印度运往英国的途中，茶叶因发酵而颜色变深，并散发出特殊的气味。商人们不想蒙受损失，因此继续售卖这种茶叶。英国人也没发现有什么问题，甚至还很喜欢这种新的风味。

T形的和服

T 恤衫问世于 20 世纪初，堪称人类历史上最流行的服装样式之一。这种 T 形的简单棉质套头衫，从诞生到完全流行起来经历了几十年的时间。而今天，几乎每个人，无论年龄、性别和穿衣风格，都很乐意穿 T 恤衫（它售价便宜）。其实，还有一种 T 形的服装，比 T 恤衫早出现几百年，但并不是每个人都对它有所了解。这种服装就是和服，它是日本的又一个重要象征。不过，和服的价格可不便宜。

和服在日语中称作“着物”，意思是“供穿着的东西”。过去，日本人用“和服”统称所有的衣物。随着时代变迁，欧式服装漂洋过海来到日本，如燕尾服、长裤、衬衫和连衣裙等——这些叫“洋服”——于是“和服”成为日本传统服装的代名词。

和服由多种长方形的面料缝制而成，男式和服与女式和服缝制的方法相同，但颜色与纹样有别，也会根据季节更替而变化。

和服的式样看起来很像浴衣，但穿上它可不是一件容易的事。首先要穿上轻薄贴身的和服内衣，再穿和服外套。后背不能有褶皱，两手拉住袖边向两侧平伸而展平袖子，裙摆下面仅仅露出脚。最复杂的是系带。在穿和服的过程中，要系上大大小小粗细不一的带穗，最后还要在腰上缠绕长达几米的宽腰带，并在背后打结。这样一套和服，仅仅是其中一条腰带，就价值不菲。而且，好不容易穿上之后，你还得学会穿着它走路。

正因为以上两方面的原因，在现代化的日本都市中，比如东京，穿着传统和服的人越来越罕见。而在一些古都，比

比起和服，日本人更常穿的是浴衣。浴衣一般是棉质的，轻薄方便，而且价格更加便宜。区分浴衣与和服主要看衣服的长短。如果能看见小腿和脚踝，那一定是浴衣。和服通常长可及地，衣摆下面仅仅露出裹着白袜子的脚。日本的袜子——足袋是一种分趾袜，大脚趾与其余四趾分开。这种袜子能够方便地穿上日式木屐或草屐（日本的屐与人字拖很像，但鞋底更厚）。

如京都和奈良，则更容易碰见身着和服的日本人。日常穿着和服的主要是老奶奶和相扑手，普通人仅仅在重要节庆场合才穿，如婚礼、斗茶会和七五三节。当然，也有年轻人彻底告别和服，衣柜里只剩下牛仔裤和 T 恤衫了。

欢欢喜喜
过节啦!

在日本，好像每一天都有节要过。如果没有全国性的节日，一些城市、乡村也时常有地方性的节日。日本人工作很勤奋，同样，他们也将大量时间花在各种祭，也就是节日上。

日本的祭礼有时甚至有几分不可思议。比如在大阪，每年 1 月会举行裸身节——光着身子去游行。男子们不顾室外的严寒，只在下身系一条或红色或白色的兜裆布，看起来就像穿了片尿布，一路跑到寺庙去。寺庙里的僧人从楼上抛下象征幸运的“宝木”，谁要是抓住了，谁就能在新的一年里好运连连。

孩子们最喜欢的是每年 2 月举办的札幌雪节。在雪节期间，人们能够欣赏到埃菲尔铁塔、自由女神像、童话中的人物、宫殿，以及城堡等各式雪雕。在最大的雪雕前，会举行音乐会；而在冰屋和冰滑梯上，到处都是尽情玩耍的孩子。

5月，在日本古都京都，会举办盛大的葵祭。届时，近千人身着传统服装，打扮成勇敢的武士和古代臣子的模样，涌上街头进行游行。

8月，人们可以在青森市参加青森大灯笼节。大灯笼节最大的看点就是形状各异的大灯笼，它们有武士、龙与恶魔等造型。青森市的居民们几乎整年都在为大灯笼节做准备。在节日到来时，在箫管锣鼓声中，男人们将制好的灯笼一一挂在路边。

在日本，节日不仅是一种很好的娱乐，还与传统和宗教——神道教密切相关。几乎每一种祭都与神社有关，而装扮和狂欢则是为了驱逐恶灵和庇佑平安。神社还会举办传统的日式婚礼，葬礼通常在佛教寺庙中举行（日本人可以同时信仰神道教和佛教，因为对佛的信仰与对神明的信仰没有冲突）。

神社与寺庙有什么区别呢？主要体现在名字上。两者从建筑造型上很难分辨，因为初看上去，两者并没太大不同。不过，神社的入口处有标志性的朱红色或橙红色鸟居。鸟居由两根立柱、柱上的笠木和岛木以及插入两柱间的贯构成。走近鸟居，就标志着来到了一个靠近神明的地方。

儿童节，一天怎么够？

暮春时节，在日本，竹竿顶端、阳台上、屋顶上，到处都能看到挂着的鲤鱼，在空中迎风飘扬。当然，这些鲤鱼不是活鱼，而是用纸或布做成的鲤鱼风幡。每年 5 月 5 日，是日本的国家法定节日——男孩节。这天，人们会悬挂鲤鱼旗。

为什么选择鲤鱼呢？因为鲤鱼是一种顽强勇敢、勇于逆流而上跃过龙门的鱼，日本人希望男孩子也像鲤鱼一样坚强勇敢。除了鲤鱼旗，还有一些其他的节日元素，比如武士的盔甲套装、宝剑和弓箭，以及历史和传说中的武士形象，都作为节日装饰品摆放在家中。

那么女孩呢？别急，女孩同样拥有自己的节日——每年 3 月 3 日的女孩节。女孩节前几天，有女孩的人家就会摆出身着精致和服的天皇与皇后人偶，有时甚至还有侍从人偶。它们可不是玩具，只在节日期间摆放，然后就会被收进盒子里等待来年的节日。

孩子的节日

在日本，属于孩子的节日可不止这两个。11 月 15 日，日本人会庆祝七五三节——给七岁、五岁和三岁的孩子过的节日。这三个年龄的选择不是出于偶然，而是日本人向来认为奇数是吉祥之数。节日当天，父母给孩子们穿上和服，带他们一起去神社或寺庙朝拜。这一天算得上日本人一生中重要的日子，给孩子们拍的照片，装裱后会挂在家里显眼的位置。最棒的莫过于，孩子们在这天还能得到一只装有细长的千岁饴糖的纸袋，上面绘有龟、鹤等象征长寿的图案。

日本谚语有言：“千年鹤，万年龟。”民间传说也有关于渔夫和乌龟的故事。相传有一天，年轻的渔夫浦岛太郎救下了一只乌龟。为了报答他，乌龟带他来到了海底龙宫。一到海底，乌龟就变成了公主，两人度过了一段甜蜜的日子。然而浦岛思念自己的母亲，因此决定回到陆地。临别时，公主送给他一只盒子，并告诫他千万不能打开。回到陆地上，浦岛发现世上早已物是人非。

原来，海底时间的流逝速度要比陆地上慢，浦岛在海底待的那段日子，世上早已过去了三百年。在悲痛与无措中，浦岛打开了公主送给他的盒子，没想到他瞬间衰老。原来，盒子里封存的是他的年龄与青春。一阵风吹来，有不少羽毛飞来，贴在浦岛太郎的身上，最后他变成了一只美丽的仙鹤。

敲响新年的钟声

一年接近尾声的时候，圣诞节悄然而至。日本街头巷尾甚至普通人家中，都会有圣诞元素的装饰，但 12 月 25 日不是一个法定节假日，只有部分人会在那时准备装饰圣诞树、蛋糕和给家人的礼物。圣诞的气氛会持续下去，因为最重要的节日——新年，就要到了。

新年之前，家家户户、企业组织、学校等都会进行大扫除，到处都能听到扫地除尘的声响。人们会在门口摆上门松，这是一种用稻草捆扎的带有竹枝或松枝的装饰物；还要提前给亲朋好友寄出贺年卡，最好用毛笔亲手书写以示正式和礼貌。每年此时，邮局都要投递出上百万份贺卡。

12 月 31 日晚上，日本人也要吃年夜饭。餐桌上摆放着精致的食盒，里面盛有各种新年菜肴，不可少的是长长的跨

年荞麦面与和果子（日式点心）。和果子是一种用米粉做成的团子，口感很像糯米年糕，食用时要细嚼慢咽。

午夜零点来临之时，日本全国上下所有的寺庙都会响起钟声。有的人去寺庙里朝拜，有的人在电视直播上倾听新年的钟声。当 108 记钟声最终落下时，新的一年就开始了。不过这只是节日的开始，因为日本的新年假期将持续三天。

过新年又怎会少了新年礼物呢？孩子们会得到红包，里面装着压岁钱。过完年后，孩子们可以自由支配这笔钱。

新年的传统游戏之一是“百人一首”——抢纸牌。这是一种古老的游戏，要了解100道广为流传的和歌，既十分有趣，又能够很好地锻炼反应能力。游戏开始时，先将写有和歌片段的纸牌放在面前，当吟唱者念出和歌片段时，参加游戏的两个人就要抢先从纸牌中找到与吟唱者吟唱的和歌一致的纸牌，越快越好哟。

黑白之间

用墨汁勾勒出一个简简单单的黑色圆圈，有时像个滑稽的圆滚滚的雪人，有时像座山峦的轮廓——这就是一幅画的全部。艺术家似乎已经穷尽了自己的耐心和所有才智，可在日本，这个看上去像是画家的技拙之作的东西却被当作艺术品。

这不是在开玩笑吧？绘画总是让我们联想到嵌在华丽边框中的亚麻画布，以及艺术家花费数月精心打磨的画作的每个细节。优秀的画作给我们留下的印象是创意、构图和色彩，这些都是艺术家天赋的展示。可是圆相，用墨汁在薄薄的和纸上描绘出的圆形图案，却同样能够体现出所有要素。这其中有什么神奇之处？奥妙就在于落笔的那一瞬间。一挥而就，一气呵成，不能修改涂抹。

圆相不打底稿，也不使用直尺和圆规，因此每一幅都是独一无二的，哪怕是艺术大家也无法创作出两幅一模一样的画。圆相讲究的是全神贯注，而非熟练或天赋。

圆相

当然，日本也有彩色绘画，并且大量使用金色。这种绘画形式在古代备受喜爱，常见于宫殿庙宇。日本的僧人创作了很多黑白画作，并将它当作一种修行，其中蕴含了对世界的感悟。一些绘画作品描绘了自然山水，湍流飞瀑，丛林荫翳，另一些则再现了亭台庙宇。僧人们通常还会在画卷上题上几句短诗，比如俳句。画家很喜欢戏谑的笔触，有时绘画作品里会出现佛经中的僧人形象——一个个光头和尚。在佛教中，戏谑也是一种修行。

日本水墨画最看重原创性，这一点与日本书道不同。水墨画需要的是丝毫不马虎的精确与恰到好处的技法。绘画前，先往砚台里倒入一定量的水，接着磨入一些压制好的墨锭。用毛笔绘画时的握笔方法也很重要，与油画完全不同，仅学习这种握笔方法就得下一番苦功。

木头机器人

有一类表演者，他们在舞台上毫不起眼，却是整出戏的重中之重——正是他们赋予了那些衣着斑斓的木偶以生命。一个木偶由三个表演者分工操纵，至少有两人要戴着面具。一名表演者负责操控木偶的腿脚，其中尤以操纵女人偶见功夫。这些女人偶没有双腿，表演者必须弯着腰收紧线，表现出长长衣饰下淑女的纤纤细步。

主要表演者负责保障木偶动作的流畅，通过藏在木偶身体上的细线控制其头部和右手。为了学习这样的技艺，他们必须付出十多年的辛苦。通过复杂巧妙的关节和提线，木偶可以做出挑眉、扭头、咂舌甚至点头的动作。还有一名表演者负责操纵人偶的左手，尽管看起来要轻松些，但他也有不少工作要做。

这种特殊的戏剧被称作“文乐”，又叫“人形净琉璃”，在日本存在了超过 300 年。熟悉它的人都说，文乐中的木偶更像是木头机器人，而不是简单的木偶。几个世纪以来，它

文

们按照相同的模式表演，其中运用的机械原理至今令人叫绝。木偶的头上会接上真的头发，肩背用竹子或木头制成，而服饰无不是用昂贵的丝绸或其他布料缝制而成的。

有些文乐木偶的制作相当富有创造力，只需轻轻拉扯隐形的细线，一位美丽的公主瞬间就能变成邪恶的妖婆，头上长出恶魔之角，嘴里露出獠牙，两眼一翻，眼白都清晰可见。这番表演足以令观众震撼！不过，这种木偶戏不是演给孩子们看的，剧本大多创作于几个世纪之前，内容通常表现热烈而悲伤的爱恨、残酷的战争和人性的丑恶。而且，孩子们可能会觉得这种木偶戏有些无聊，因为一出木偶戏可持续两个小时之久。

木偶表演者赋予木偶以生命，却没有余力为它们配音，完成这一任务的是跪坐在舞台侧面的太夫（说唱人）。说唱人在向观众讲述剧情时，更像在歌唱而非简单地念白。另有一位乐师弹奏三味线（三弦琴）为他伴奏。日本古典舞台艺术中的歌舞伎和能乐采用的也是类似的演出形式，不过上台表演的是真的演员——虽然他们的动作有些像木偶，脸上也总会戴上木质面具。

微观山水

今天，很多东西都有迷你版，不过迷你这一时尚可不是我们这个时代的独创。日本闻名遐迩的迷你植物——盆栽，已有一千多年的历史，至今在东京的春花园美术馆还可以看到千年松树盆栽。这些小巧的植物可不是常见树木的奇特变种，没有哪种神奇的种子，能在种下之后长成盆栽。那么它们是如何栽培的呢？答案或许就藏在“盆栽”这个名字里，在日语中，“盆栽”的意思就是“生长在花盆里的植物”。

试想一下，一株小小的树苗，生长在峭壁悬崖这样艰苦的环境里，只能拼命地利用一切力量和空间。于是它的根深深地扎进岩石里，枝干弯曲盘绕，呈现出精巧绝伦的形状。中国六朝时期的僧人受到启发，将植物移栽在浅口的花盆里，使其无法将根深深扎入地下；又修剪植物的枝叶，限制它

们的生长。这种微观山水在中国被称为“盆景”，传到日本后则被称为“盆栽”。

盆栽不是自然的造物，而是人工培养的产物，有“活雕塑”之称。这项技能从未失传，在那些历史悠久的工艺世家，盆栽艺术代代相传。树枝被修剪，被绑上细线，使得枝条继续保持形状。盆栽分为不同的风格，比如看起来像是生长于巉岩峭壁上的。最优秀的盆栽师将自己的作品送去参加比赛，竞争奖项，举办展览展示作品，并将作品拍卖出售。盆栽拍

不如盆栽古老，但同样具有悠久历史的，是日本的俳句。这也是一种微观艺术——只由三小句诗组成。比如下面这首：

闲寂古池旁 / 青蛙跳进水中央 / 扑通一声响

这首俳句的作者是松尾芭蕉。他是日本旅行家、僧人和俳谐家，被认为是俳句这一文学体裁的始创者。他证明了三言两语也可以意蕴无穷，短短的叙述可以比长篇大论更加有力。很快，其他人也开始写起了俳句，短小精悍的文学风格一直持续到了今日。

卖的最高纪录是1亿日元——拿这笔钱买一片普通的森林都绰绰有余。

每个人都可以尝试制作盆栽，不过想把这件事做好，需要有足够的耐心哟。

折纸

在课堂上折纸飞机？老师肯定会生气吧！老师教学生一起折纸飞机，折得好还有奖励？在日本，折纸是很多小学生的必修课。即使是在幼儿园也有这样的课程，老师希望通过这种方式培养孩子们的耐心与细心。

日本的大人也会折纸——主要是为了娱乐。纸艺大师们会使用手工制作、十分考究的和纸，不过平常玩的时候用普通的纸张就可以了。折纸使用的纸张必须是正方形的，而且折纸过程中通常不使用剪刀和胶水，所有的折纸作品都通过一定的折叠方式完成。

日本最有名的折纸作品无疑是纸鹤。不过对初学者而言，折叠纸鹤也谈不上容易。在日本，鹤的形象被认为能够带来好运，因此，千纸鹤——用细线穿起的一千只彩色纸鹤，是很流行的礼物，可以送给新婚夫妇以示祝贺，也可以送给病人以祝愿其早日康复。

千纸鹤

折纸在日本的历史几乎与纸张本身的历史一样长。纸张与汉字、茶叶在几乎相同的时期从中国漂洋过海来到日本。起初，纸张非常昂贵，纸制装饰物只能在富裕的寺庙和宫廷中见到。后来，日本人对造纸技术进行了革新，造出了更便宜的纸张，从此纸张被广泛运用到生活的方方面面：从伞、灯笼、风筝，到建筑物中的门与墙。大约 400 年前，折纸艺术在日本蔚然成风，形成一种风尚。

20 世纪中叶，日本折纸艺术家吉泽章与美国人山姆·兰德莱特一起，研究如何将折纸的结构用图画展现出来，使之更加容易理解。在此之前，学习折纸只能通过老师传授或者自己摸索。尽管先前也有关于折纸的书籍，但其中的图画十分复杂，文字说明更像诗歌，而非浅显易懂的文字。

纸鹤

一起来折一只翩翩欲飞的纸鹤吧！

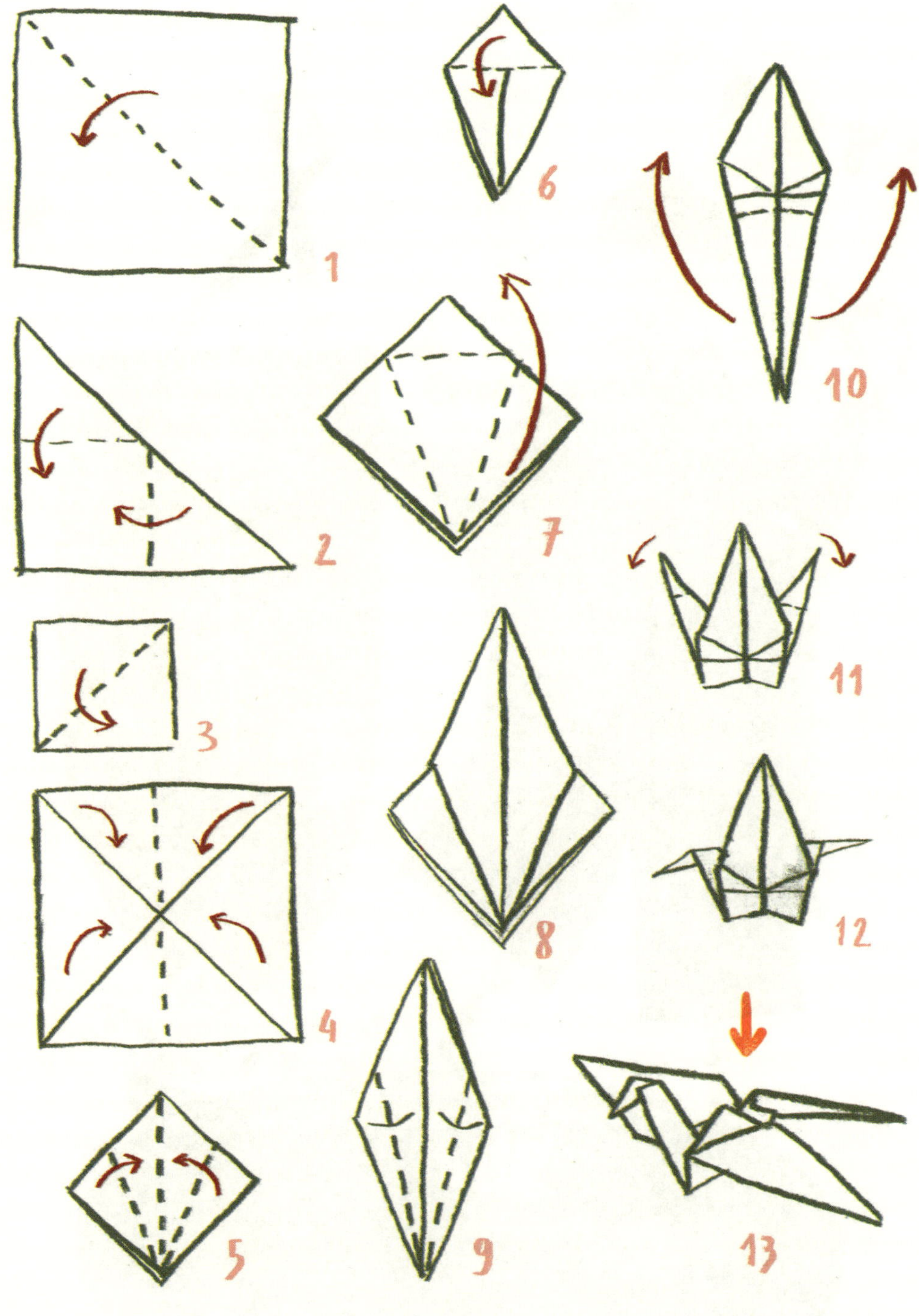

日本孩子的传统游戏

电子宠物、爆丸和宠物小精灵，卡片和人偶，变形机器人和电视游戏……日本人每时每刻都有新点子为孩子们发明出新玩具。问题是，当商店里出现新的游戏、模型和收藏品时，就没什么人再去玩旧的了。然而有几种古老的游戏，直到今天日本的小孩仍然在玩。

比方说剑玉。剑玉的十字形木质剑身前端尖锐，手握的剑柄和两肩末端呈杯状，一只有孔木球与剑身由细线相连。游戏的目标是使球落在杯状末端或将剑尖插入球洞，为此玩家们创意十足地发明出上千种办法，有的人甚至可以抓住球让剑尖入洞。游戏看重的不仅仅是达成目标，还要看完成方法能否给人留下深刻印象。以日本为首的几个国家甚至定期举办剑玉职业比赛。

另一种传统游戏是投掷小布袋。小布袋由缝制和服剩下的边角料制成，里面装有豆粒，就像沙包一样，可以抛来掷去。这种游戏可以同时用几只小布袋一起玩，可以一个人玩，也可以许多人一起玩。唯一的规则是，布袋不能落到地上。

翻花绳这个游戏需要一段长长的细绳。先将绳子首尾相连，绕到一只手的手指上，再把另一只手的手指穿过绳套，接着就可以翻出各种花式啦。千万要注意，可不要让绳子打上死结哟。

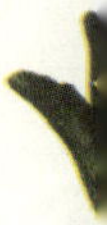

有时候不用任何玩具，只用双手就可以做游戏。你知道吗，“石头剪刀布”的游戏同样起源于中国，后来传到日本。日本的小孩在玩这个游戏时，首先要喊：“先同时出石头！”双方同时出一个“石头”，表示游戏开始。接着每次都要说“石头剪刀布”，在喊出“布”的同时，两个人同时做出手势：或者是“布”（摊开的手掌），或者是“石头”（攥紧的拳头），或者是“剪刀”（V形的剪刀手）。“布”可以赢“石头”，因为布能把石头包住；“石头”可以赢“剪刀”，因为它可以让剪刀变钝；“剪刀”可以赢“布”，因为剪刀能把布剪开。之后赢的一方喊：“看那里！”并或上或下或左或右地展示自己的手。如果对方看向了赢的人指的那个方向，才算是最终输了；如果没有，就继续进行这个游戏。

日本动漫

世界上没有哪国人比日本人更喜欢动画和漫画了。在日本，动画和漫画不是孩子们的专利，老奶奶、大学教授和银行经理都会急不可耐地等待心爱的动漫作品进行下一轮更新，没有人对此感到诧异。哪怕是严肃的成人读物，如导游手册和历史小说等，也可能会以漫画的形式出版。热门的动漫形象随处可见——广告中、信用卡上，甚至是飞机上。在一些警察局大门前，还能看到真人大小的卡通警察形象。

不止一位科学家思考过，为什么恰恰是日本人如此钟爱漫画。这或许是日本两位天才人物的功劳。第一位名叫葛饰北斋，生活在江户时期。他笔下的动物和怪兽栩栩如生，简直像要从画中跳出来。北斋将自己的这些绘画作品取名为“漫画”（日语中称为“Manga”），它的字面意思是“夸张的绘画”。今天，“Manga”已经成为指代日本漫画的专有名词。

砰

第二位是漫画家手冢治虫，生活在比北斋晚得多的 20 世纪。他一生创作了 700 多部漫画。为了让自己笔下的漫画形象活起来，他开始拍摄动画片，一开始是黑白的，逐渐发展为彩色的。人们时常将手冢治虫与沃尔特·迪士尼[1]相提并论。这位动漫大师可是差一点儿就要去写处方了呢——手冢治虫在完成医学专业的学业后，没有去当一名医生，因为他实在是太喜欢美国动漫中的超级英雄了。他梦想着能够创造出自

① 沃尔特·迪士尼（Walt Disney，1901—1966），美国著名动画大师、企业家、导演、制片人、编剧、配音演员、卡通设计者，举世闻名的迪士尼公司创始人。——译者注

己的动漫故事。由于确实有天赋，又非比一般的勤奋，手冢治虫最终实现了自己的梦想。

崭新的漫画书被丢进垃圾桶？这样的场景有时还真会在日本出现。日本人酷爱购买漫画书，而家里又没有足够的地方存放，于是他们（大部分为男性）总是在上学或上班的路上看，在出地铁、下公交车时把已经看完的书顺手丢掉。

甜心猫咪

她甜美的笑容出现在世界的每个角落，可能比米老鼠的知名度还要大。她就是凯蒂猫（Hello Kitty），是当之无愧的国际巨星。在日本，凯蒂猫代表一种独特的可爱文化——甜美、娇小、可爱。可爱的还有凯蒂猫形象的各种周边产品：笔袋、背包、小帽子、茶杯和睡衣，甚至还有私家小轿车（比如三菱制造的小汽车）。在日本皇宫旁的纪念品店里，可以买到身着皇袍的凯蒂猫；在圣诞节，凯蒂猫打扮成圣诞老人的模样；到了秋天，她的手中还会拿着一片红叶。

不过，凯蒂猫的外表与其年龄并不相符——现在的她，已经有 40 多岁啦。凯蒂猫的形象并不是凭空出现的，早在她诞生之前很久，招财猫就已经挥着小手给人们招来财运了。招财猫历史悠久，不仅在日本，在中国和泰国都很受欢迎。今天在欧洲也能见到，比如在亚洲餐馆门口。招手是邀请的意思，招财猫也是“欢迎客人的小猫”，不断邀请人们走进饭店。

招财猫

另一个著名的日本猫咪是天蓝色的哆啦A梦。作为动画和漫画中的常客，哆啦A梦是一只来自未来的机器人，住在小学生野比大雄家里，喜欢吃铜锣烧，耳朵被老鼠咬掉了。在很多国家，他与凯蒂猫的受欢迎程度不相上下。哆啦A梦甚至被日本外务大臣任命为大使，进行过好几次正式“出访”，让一脸严肃的政治家和代表们握住他的小圆手跟他合影。另外，哆啦A梦与大雄的故事还被改编成了真人电视剧和电影。

在日本动漫形象中，还有一个非常受欢迎的就是有着灰色蓬松毛发的龙猫，它其实不是猫咪，只是胖乎乎的可爱样子有点儿像猫，住在离两个小女孩家不远的森林里。龙猫是日本吉卜力工作室出品的动画电影《龙猫》中的角色，如果你想要找到它的话，只需沿着撒满橡子的小径一路走去，因为那是龙猫最喜欢的食物。

在距离东京不远的三鹰市有一家动画美术馆，在这里可以看见跟动漫中的龙猫个头大小相当且比人类要大得多的龙猫。在川崎市的藤子・F. 不二雄博物馆里，最重要的卡通形象是哆啦 A 梦。在东京市郊，可以参观三丽鸥公司旗下的彩虹乐园——凯蒂猫主题乐园。在这里，一切都很可爱，不仅有穿着公主裙的凯蒂猫，还有对孩子们来说超大的蛋糕和缆车。

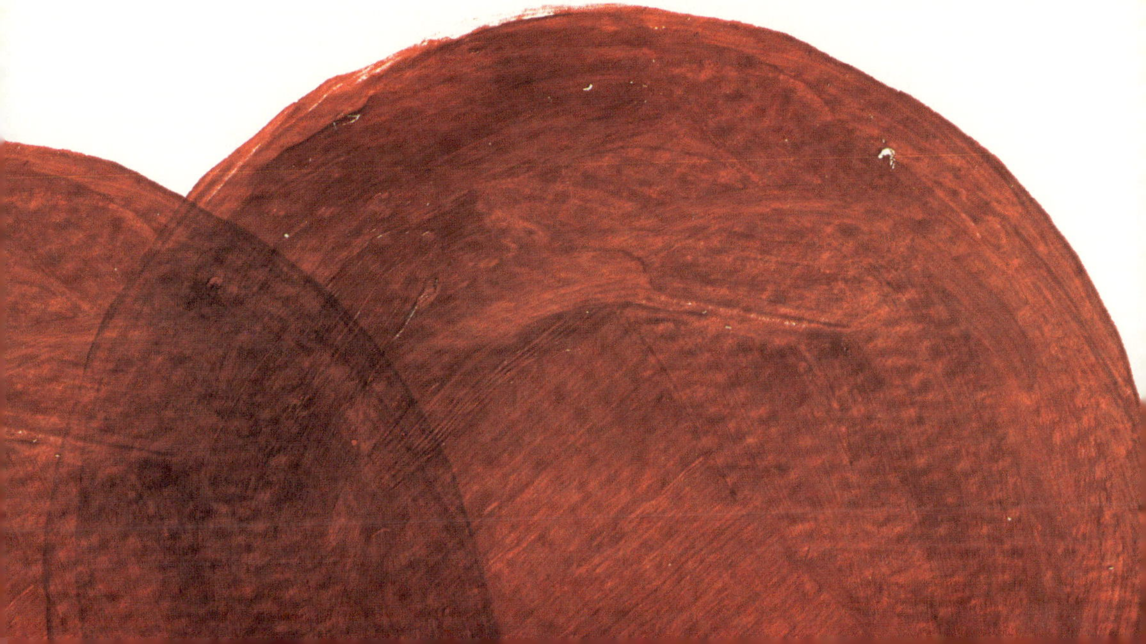

人工智能

他 130 厘米高，48 千克重，看上去像个 9 岁小男孩套上了航天服。如果跟他交谈，他一定能记住你。他会彬彬有礼地鞠躬迎客，帮客人点单再端来饭菜。除了日语之外，他还懂英文和手语。他出现在电视上，在世界各地环游，还指挥过交响乐团。他的名字叫阿西莫（ASIMO），靠电池提供动力，你可以通过程序、操控操纵杆或直接下达指令来控制他的行动。

目前阿西莫的电池最多只能支撑短短一个小时，但日本工程师们还在持续对其加以完善。谁会知道，在不久之后，机器人会不会一整天甚至更长时间都能持续工作而不需要充电呢？毕竟现在的阿西莫与其他两足机器人一样，已经可以奔跑、躲避障碍、跳跃和上下楼梯了——曾经，这可是摆在科学家面前的巨大挑战啊。早期的机器人不仅行动笨拙缓慢，看起来像是从过时科幻电影里走出来的一样，而且总是在碰到障碍的时候掉头往回走。

阿西莫

工程师们数十年如一日研究测试各种技术和材料，观察人体、猿猴和其他动物行动时筋脉、肌肉和骨骼的运动情况。最终，他们不仅发明了灵敏的机器人阿西莫，还发明了其他各种智能机器，其中也包括智能玩具。

比如机器狗 AIBO，1999 年刚上市时，所有现货在短短 20 分钟内被抢购一空。AIBO 不仅仅是一款会动的玩具狗，人们还必须照顾它、抚养它，不然它会伤心而不愿意玩耍。几年前，这种电子宠物狗已经停产了，现在仍然在售的是小型机器人 PaPeRo。PaPeRo 的眼睛中藏有摄像头，学习功能强大，还会说话。当家里没人而进了小偷时，PaPeRo 还会主动报警。

在日本这个樱花盛开的国度，诞生了世界上近一半的机器人。尽管今天日本是公认的高新科技强国，但很难准确说出日本人是从什么时候开始疯狂钻研高新科技的，也许是在 20 世纪 40 年代吧，当时发明了非常简单但重要的标志性产品——电饭煲；又或者是 1970 年，日本工程师发明出了便携计算器；9 年之后，他们又发明了随身听，它可以算作 MP3 播放器的前身。

你知道吗，松下公司起初并不生产电器，而只生产铅笔——听起来是不是有些不可思议呢?

在游客眼中，日本的自动售货机无处不在——街道上、公园里、寺庙旁，甚至是富士山顶。自动售货机中贩卖的主要是各种冷热饮品。在一些餐馆里甚至看不到服务员，取而代之的是与售票机相似的自动点餐机。顾客只需要在屏幕上选好餐点，按下按钮，付款之后就可以拿着凭条去找厨师啦。

空手格斗术

双手空空也可以比手持宝剑更加危险——只需去看看空手道比赛，你就会明白这一点。空手道比赛在垫子上进行，为什么双方都不用器械呢？因为他们懂得如何一击制敌。你一定也听说过柔道吧？不过可不要认为，柔道就是软趴趴的软体动物之间的争斗。柔道运动员们可是会用力抓住对手的肩膀，持续发力直到把对手摔倒在地。他们的动作总是温柔流畅，与空手道迅速猛烈的打击不同。在柔道中我们可以看到“柔”，而合气道则意为“灵气合同为一的道”。尽管这些格斗术的名称都来自日语，但其发源地并非都是日本。

空手道起源于中国少林拳术，经由中国移民传入琉球。当时这个热带小岛被萨摩藩统治，推行禁武政策，禁止居民持有武器。无奈之下，小岛上的居民开始对不需要武器的格斗术产生兴趣，因此将目光转向了会拳术的中国人。直到约300年后，这种拳术才传入日本本土。

相扑

柔道的历史则截然不同。柔道是由柔术演变发展而来的，柔术是古代日本武士空手搏斗的技术，武士在失掉手中武士刀后，就凭借它获得生的希望。从前，柔术并不是一项运动，而是一场非生即死的厮杀。后来，柔术的攻击性逐渐减弱，100 多年前，一位技艺精湛的职业柔术师从古武道柔术中演变和开创了自己的流派。他叫嘉纳治五郎，是日本现代柔道的创始人。

不论名称和起源如何，这些格斗术有一点是相通的：要想技艺高超，唯有长年累月地刻苦练习。在许多格斗术中，选手们的等级可以通过不同颜色的腰带来识别。空手道初学者的腰带是白色的，大师们的腰带则是黑色的（在柔道中则是红色的），从白带到黑带的过程中还要依次取得橙、蓝、黄、绿、褐等不同颜色的腰带。

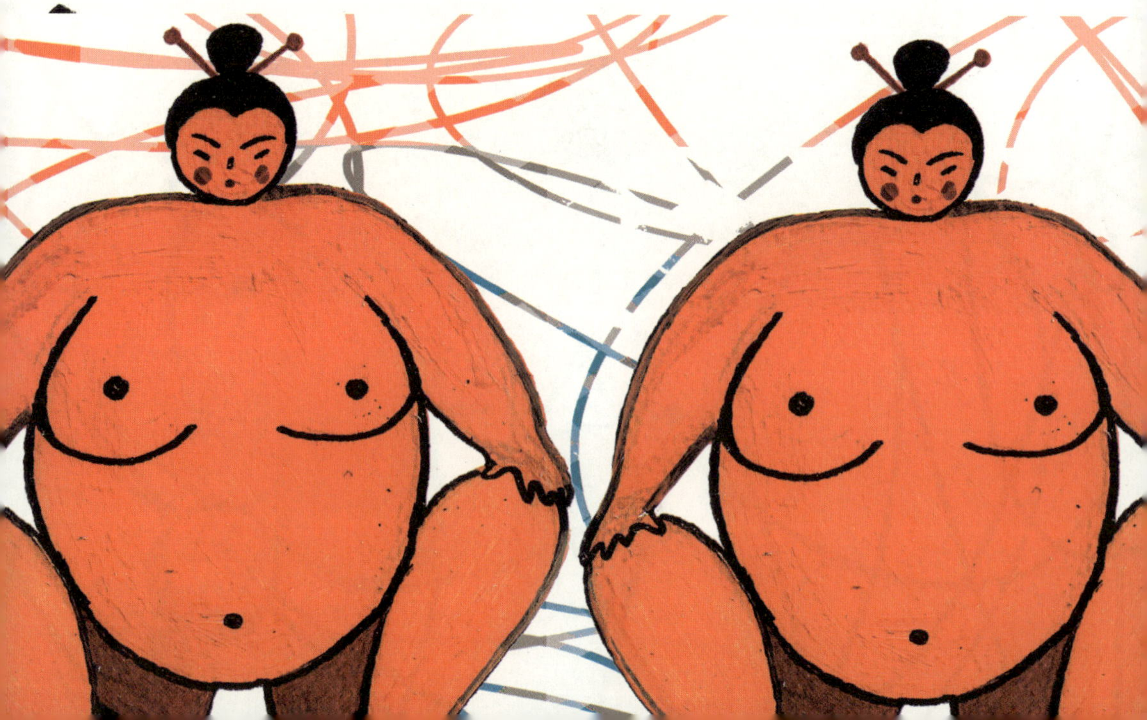

日本最古老的格斗术是相扑，今天，相扑比赛仍吸引着大批爱好者。相扑力士们的体重超过 100 千克，比赛时仅在下身系腰带和兜裆，头发在头顶拢成独具特色的发髻。每场比赛之前要在土俵（相扑台）上撒盐并跺脚，为的是将恶灵驱赶出去。土俵是一块直径 4.55 米的圆形空地。一方获胜的标志是将对手摔出土俵，或使对手除两脚掌外的身体任何部位着地。

忍者和武士

他们的行动像猫一样敏捷，在夜色下潜行，让人毫无察觉。深蓝或深紫色[1]的衣服和面具下只露出一双眼睛，手中的刀和锁镰上下翻飞。当他们逃离时，会向地上撒上尖锐的撒菱（通常用毒药浸泡过），使对手无法继续追踪。当他们攀爬树木或城墙时，会在脚上穿上特制的铁爪，帮助攀爬。

很久很久以前，当忍者的形象还没有出现在电影和电子游戏中时，他们在历史上就真真切切地存在过、战斗过。在几百年前的日本武士时代，他们充当间谍，潜入敌人的宅邸，窃取机密计划，刺杀敌方将领，在战斗中使用各种忍术。他们的技艺在今天看来也有可取之处——当然不是为了杀人，而是为了训练身体的灵活度和速度。

① 忍者的衣服为深蓝色或深紫色，纯黑色是人们的误解。——编者注

忍者活动于暗处，武士则不同。他们从不轻易放下手中的佩刀，而且以自己的刀为荣耀。武士刀的锻造需要耗费很长时间，仅是刀刃的打磨就要好几个月。最后，刀刃变得锋利无比，吹毫断发，削铁如泥。武士还会根据场合给自己的佩刀配上不同的刀鞘。

今天，日本仍有专门从事武士刀锻造的手工艺人，武士刀已然成为一种艺术品。古老的刀术也没有失传，不少小学生仍会练习刀术强身健体。

使用竹剑进行的击剑运动在日本称作“剑道”。这是在日本传承至今的另一种格斗术，如今被当作一项运动或者爱好，甚至是一种磨炼意志的方式。每位职业选手都必须严格遵循规则，谦虚、诚实，保护弱小。这是过去每个武士都必须做到的，也是今天站在赛场上进行剑道比赛的人必须做到的。因此，在剑道比赛中没人会把对手打得抱头鼠窜或者身负重伤，所有人都是为了荣誉而战。

筑地鱼市

金枪鱼与牛肉

全世界的美食家来到东京都不会错过的，是坐落在这里的世界上最大的鱼市。鱼市已经有 90 多年的历史，在这里，每天都能卖出 2000 多吨海产品。

鱼市最著名的是每天清晨的金枪鱼拍卖。这不仅是因为有时金枪鱼的拍卖价格可以赶上豪华汽车，还在于拍卖本身的氛围。条条重达几百千克的金枪鱼成排地摆在地上，买家大多是来自各家餐馆、酒店的老板，此时个个盯着自己心仪的金枪鱼。时不时响起的铃声，标志着拍卖的开始。看看谁出价更高？拍卖师身着深色紧身衣，挥舞双手向人群示意，一声接一声地向人群发出有节奏的呼喊，有时甚至像是念起了神秘的咒语。对第一次到这里来的人而言，这不啻一场古怪的仪式；然而这里的常客，尤其是那些富有经验的买家，则对这里所发生的一切了然于胸。他们只是等待着一个时机大声喊出自己的价格，好心满意足地带走自己的“猎物”。

这个巨型鱼市是筑地市场的一部分。几年前，东京市政府决定将筑地市场关闭，鱼市也将迁往远离市中心的丰州市场(目前筑地市场仍存在)。这个决定令渔民和居民都不满意，因为大家都已经习惯了这个交易市场所带来的便利。但最不满的还是鱼市附近的餐馆老板——只有缩短采购时间，他们才能够制作出整个城市里最新鲜的寿司。

鱼市旁的一些小餐馆甚至斩获过世界性的厨艺大奖，厨艺超出那些豪华餐馆里的著名主厨。正因如此，尽管菜品价格高昂，这些餐馆却从来不缺食客。经常有人慕名而来，甚至甘愿在餐馆外排队等上好几个小时。

与筑地鱼市的金枪鱼齐名的是神户牛肉。神户出产上好的啤酒，也有典雅的音乐厅。因此人们都说，神户的牛过着无比幸福的生活：牛舍里演奏着古典音乐，喂食前还要来一升啤酒开胃。饲养员们从来没有确认过这样的传言，但也许他们只是不想泄露自己的饲养秘方？更确凿的消息是，他们给牛做按摩，饲料不是普通的草，而是掺了葡萄干和坚果的玉米片。这大概就是神户牛肉被认为是世界上最美味牛肉背后的秘密了。

日本人曾经是不吃红肉的。这个国家四面环海，人民以丰富的水产和非常健康的“水底蔬菜”——各种海藻为食。这或许就是日本人长寿的缘故吧。藻类中最著名的是用来裹寿司的干海苔，以及用来煮味噌汤的裙带菜。不过食用藻的种类还有很多，比如富含胶质的海带在切成细条后很适合做日式三明治，即加了馅料的饭团。

富士山小姐

富士山作为日本的象征，在世界范围内广为人知，它位于日本静冈县和山梨县之间，也是著名的旅行观光地。

富士山确实是一座不寻常的山峰。千百年来，诗人为它写诗，画家为它作画，它的形象被当作完美的化身。对神道教的信徒来说，富士山还是一座圣山，山上设有神社与鸟居。

只有在夏天才可以去爬富士山，而且最好在晚上爬，这样就可以看到第二天的日出。爬山的过程通常并不轻松，因为山路上总是人头攒动。日本人喜欢说，没爬过富士山的人是笨蛋，爬第二次的人也是笨蛋。

富士山

在晴朗的日子里，从 80 千米之外的东京就能看到富士山的山顶。每个东京市民都梦想着从自家窗户看到终年覆盖着皑皑白雪的富士山山顶。然而可不要忘了，富士山是一座沉睡的活火山，上一次喷发是在 300 多年前。自那以后，火山一直很平静，但科学家们预测，它很快就将又一次从沉睡中苏醒。

在日本，同学之间要怎样称呼呢？通常日本人会在同学的名字后面加上“君”，表示尊敬。比如，“小林君，可以借用下你的笔吗？”而当称呼最好的朋友和小孩子时，日本人会在名字前面加上“小”字：“要吃糖吗，小爱？”

名为"白鹭"的古城

在日本最大的岛屿本州岛上，有一座名叫姬路的城市。每年，这里都要接待大批游客。人们来到这里是为了参观坐落在山丘上的美丽古城——姬路城。由于古城的城墙通体雪白，屋檐造型犹如展翅欲飞的白鹭，所以姬路城又有一个别名：白鹭城。天气晴好时，雪白的城堡在阳光下闪着光，分外好看。姬路城始建于14世纪，并在17世纪时进行了扩建，是当时世界上最大的要塞之一。这座古城很难被攻克，因为它的建造者们提前考虑到了防守时可能遇到的所有不利情况。

古城四周环绕着又高又厚的坚固城墙，这使敌方很难从外面攀爬，也不怕礌石的攻击。城墙上有称为"狭间"的孔洞，守卫者可以通过狭间向进攻者射击，而自己的身体则被完全遮掩。这还不够，城墙外还环绕着深深的护城河。假设这一切都没能阻拦敌军的脚步，城内也有"惊喜"等着他们。

在城门附近安装有特殊的装置，可以向不速之客投掷石头；除此之外，还有下一轮埋伏：曲折蜿蜒的回廊与楼梯，充斥着死胡同、道路崎岖的迷宫和潜伏其中的守卫。

听起来真的是太精彩了！然而唯一的问题是，这些机关从来没有机会检验其功效，因为从来没有哪个不长眼的敌人想要进攻姬路城。自姬路城建成之后，日本就进入了两百多年的和平时期。

姬路城是日本保存最完好的三大古城之一，其他两处分别是位于东京近郊的松本城和位于九州的熊本城。如果有机会去参观这些古城的话，一定要记住，就像在大多数日本人家中那样，进门前要先脱掉鞋子。

神鹿之岛

宫岛，是当地居民和来自世界各地的游客对它的称呼；而在导游手册上，我们可以找到它正式的名字——严岛。这个位于本州附近的小岛只能乘渡轮或小舟到达。远远地，人们就开始惊艳于岛上的美景，它被誉为日本最美景点之一。在离岸边不远的水中，矗立着朱红色的大鸟居。

这个鸟居已有约一千年的历史，可以通往供奉着天照大神三个女儿的神社。这三位女神分别是：田心姬（《古事记》中称为“多纪理毗卖命”）、湍津姬（《古事记》中称为“市寸岛比卖命”）和次市杵岛姬（《古事记》中称为“多岐都比卖命”）。每当退潮时，可以步行到达鸟居；不过必须加快步伐，因为不久之后海水又会重新上涨。

岛屿本身也很不寻常。岛上有住户、学校、店铺和诊所，却找不到任何一处产房或墓地。这是因为宫岛被看作神圣的

宫岛

旅馆

岛屿，在这里生产或下葬会触怒神明。如果当地有妇女怀孕，就会在生产前离开宫岛，在孩子出生后 100 天再回来。

岛上居民不多，却生活着很多鹿。这些鹿因被视为神明的使者而受到尊敬。它们在岛上自由地游荡，亲昵地与游客合影。这些鹿天不怕地不怕，而且很馋，因此游览宫岛时最好不要在路上吃东西，以免它们冷不丁蹿出来夺你手中之食。幸好，岛上到处都可以买到零食，饲喂这些无拘无束的可爱动物。

若是有机会去宫岛游玩，一定要尝尝那里的特色小吃——豆沙点心。点心像枫叶的形状，是因为岛上生长着很多枫树。点心在传统的茶点店里烘焙，客人可以隔着玻璃观看厨师如何将面糊倒入模具、如何出炉。只要点一份点心，就可以一直免费喝茶。在路边还可以买到一种穿在竹签上的小丸子，它们同样被做成了枫叶的形状。

光、希望与回声

如果空无一人的火车车厢里，座椅突然自己“跳起了舞”，人们恐怕立刻就要去抓相机了吧。然而日本人对此却已习以为常。有什么好奇怪的呢？火车抵达终点之后就要反向运行，那么座椅当然也要掉个头，好让乘客们可以正对火车前进的方向坐着。这种“舞蹈”是自动的，由内置的系统控制，看起来就好像芭蕾舞演员踮起脚尖，在原地转了个圈。

在日本的大型车站里，我们还能看到另一番有趣的景象。火车进站停稳，乘客下车，站台上一群身着制服的工作人员礼貌地向离开的乘客鞠躬，然后——各就各位，预备，开始！——这群人一阵风似的冲进车厢，开始进行清洁。这是车站工作人员例行的工作，根据列车时刻表有一套精确到秒的规程，每个人必须对自己该做什么了若指掌。有人把这称作“七分钟剧院”，因为这一整套清洁列车角角落落的流程正好持续七分钟。日本车站的工作人员或许是世界上工作效率最高的团队，美国科学家甚至专门对此做过研究。

东京

清洁工作必须迅速，因为日本的列车几乎不会延误。这样的节奏可以说是由新干线本身决定的，这种特快列车的时速最高可达 320 千米。虽然今天，在与中国等国家的竞争中，新干线列车已经不再是世界上最快的列车，但日本仍然是世界上最早运行高铁的国家。东京与大阪之间新的铁路线从 20 世纪 50 年代开始修建，在 1964 年投入使用。今天，日本新干线列车每天大约运行 250 列车次，列车的名字很好记：光、希望与回声。

日本的铁路网络十分密集，就连城郊铁路的发车间隔也只有短短几分钟。城市交通的效率非常高，东京都的地铁网络由 9 条地铁线和 179 个地铁站构成，其规模在世界上仅次于莫斯科。

你一定听说过，日本地铁的工作人员必须使出浑身解数将乘客塞进车厢，因为地铁里实在是太拥挤了。不过放心，只要错开出行高峰时段，乘坐地铁出行还是很舒适的。在日本乘坐公共交通工具，最好先了解几条应遵循的规则，比如不能在车厢里接打电话。在公交、地铁和火车的每节车厢内，都设有爱心专座，那是为老人、孩子和需要帮助的人准备的座椅，其他人不能够随意占用。另一件让外国人啧啧称奇的事情是，在日本，很多出租车的车门会自动打开或关闭，乘客不需要用手去拉门把手。

日语小词典

はい – 对，好

いいえ – 不，不要

おはよう –早上好

今日は –下午好

今晩は – 晚上好

おやすみなさい – 晚安

じゃね – 再见，拜拜

さようなら – 回头见

ありがとう – 谢谢

失礼しました – 对不起，不好意思

いただきます – 我要开动了

ごちそうさまでした – 感谢款待

店 / 販売店 – 商店

レストラン – 酒店

病院 – 医院

薬局 / 薬屋 – 药店

トイレ – 卫生间

電車駅 – 火车站

バス停 – 公交车站

地下鉄駅 – 地铁站

到着 – （飞机）着陆

出発 – （飞机）出发

お名前は。 – 你叫什么名字?

小林緑 と申します。 – 我是小林绿。

渡辺と申します。 – 我是渡边。

私 は中国人です。 – 我是中国人。

私 は中国から来ました。 – 我来自中国。

私 は北京住んでいます。 – 我住在北京。

おげんきですか? – 最近怎么样呀?

お蔭様で。 – 谢谢，我很好。

すみません、トイレはどこですか。

– 不好意思，请问卫生间在哪儿?

英語が話せますか。 – 您会说英语吗?

日本語が話せますか。 – 您会说日语吗?

日本語は話せません。 – 我不会说日语。

わかりません。 – 我不明白。

これはいくらですか。 – 这个多少钱?

気持ちが悪いです。 – 我有点儿难受。

助けてください。 – 您能帮帮我吗?

美食小菜谱

尽管一些食材需要专门去超市寻找，但总的来说，制作日本料理还不算复杂。一起来动手试试看吧！

紫菜饭团

用料：

两杯大米

两片紫菜

少量盐

一罐金枪鱼罐头（馅料）

两勺蛋黄酱（馅料）

将大米放在筛子里过水冲洗，直至淘米水变清（要多冲一会儿）。之后将米浸泡，静置 30 分钟。

重新淘洗一次米，然后将其放入蒸锅，倒入两杯水，加盖用小火蒸约 15 分钟，直到水被完全蒸干。蒸好后不要立即揭开锅盖，应静置 15 分钟，待其变凉。

在蒸米饭的同时开始准备馅料。打开金枪鱼罐头，倒掉酱汁，将鱼肉放到碗里，加入两勺蛋黄酱，并用叉子将它们拌匀。

将紫菜切成不太细的条状。将手洗净沾湿后，从锅中取出一团米饭，捏成球形或三角形。用手指在饭团上按出一个洞，在里面填入馅料，然后用米饭封上口。在饭团上撒上盐，并用紫菜条裹住。重复这一过程，做出更多饭团。

将做好的饭团与他人分享。请开动吧！

豆沙
甜点

用料：

一罐红豆或红小豆

一杯糖（最好是蔗糖）

一小撮盐

将红豆放入锅中，并加入水、盐和糖一起煮，不时搅动，直到盐和糖完全溶解，水蒸干，豆粒膨胀、变软变熟。

使用勺子等工具将豆粒压碎，如果想要豆沙更加细滑，还可以将其放入搅拌机中搅拌。

做好的豆沙可以作为面食或点心的馅料，也可以直接抹在三明治上吃。

抹茶
拿铁

用料：

一小勺抹茶粉

一小勺糖（可以根据个人喜好增减）

热水

半杯牛奶（也可以用豆浆或米浆）

几块冰（可不加）

将抹茶粉放入杯中，加入热水（注意，不可以加沸水）。加入糖，并用茶匙细细搅动。之后用竹制茶刷在饮料表面快速刷出泡沫（这一步也可以使用电动奶泡机）。

在另一个容器里给牛奶打出泡沫，然后慢慢将牛奶和茶一起倒入杯子里，这样抹茶拿铁就做好啦。

如果要制作冰抹茶拿铁的话，就等茶放凉后再刷出泡沫，加入打好泡沫的牛奶，最后加入冰块。

好香啊，开动吧！

图书在版编目（CIP）数据

好想去旅行．日本 /（波）索菲亚·法布扬诺夫斯卡－米茨克著；（波）尤安娜·格罗霍茨卡绘；黄珊译．--北京：中信出版社，2019.7（2022.1重印）
ISBN 978-7-5217-0513-3

Ⅰ．①好… Ⅱ．①索… ②尤… ③黄… Ⅲ．①世界－概况－儿童读物 ②日本－概况－儿童读物 Ⅳ．①K91-49 ②K931.3-49

中国版本图书馆CIP数据核字(2019)第082971号

好想去旅行·日本

著　　者：［波兰］索菲亚·法布扬诺夫斯卡-米茨克
绘　　者：［波兰］尤安娜·格罗霍茨卡
译　　者：黄珊
出版发行：中信出版集团股份有限公司
（北京市朝阳区惠新东街甲4号富盛大厦2座　邮编　100029）
承 印 者：鹤山雅图仕印刷有限公司

开　　本：787mm×1092mm　1/16　　印　　张：10.5　　字　　数：150千字
版　　次：2019年7月第1版　　印　　次：2022年1月第2次印刷
京权图字：01-2018-6364
审 图 号：GS（2019）1312号
书　　号：ISBN 978-7-5217-0513-3
定　　价：45.00元

出　　品：中信儿童书店
图书策划：知学园
策划编辑：于姝　　责任编辑：文琴燕　　营销编辑：隋志萍　张超　常丽娜　李丽萍
封面设计：姜婷　　版式设计：谢佳静　　内文排版：王莹

服务热线：400-600-8099
投稿邮箱：author@citicpub.com